日本の心象　刀剣、風韻、そして海景 第3章
たまはがねの響
音と光のインスタレーション　2021
作曲: 菅野由弘「星雲交響2021」
玉鋼製明珍火箸群: 明珍宗敬
光インスタレーション2021制作: 佐野誠
撮影：森山雅智

杉本博司「海景」シリーズ
日本の心象　刀剣、風韻、そして海景 第2章
撮影：森山雅智

目　次

メッセージ　6
姫路市長 清元秀泰

「オールひめじ・アーツ&ライフ・プロジェクト」と姫路市立美術館　8

オールひめじ・アーツ&ライフ・フォーラム 2021アーティストトーク　14
日比野克彦　16
杉本博司　28
中谷芙二子　34
チームラボ　40
隈　研吾　46

文化観光拠点計画認定記念特別展
「日本の心象　刀剣、風韻、そして海景」　52

美術館の可能性を拓く
「姫路市立美術館を中核とした
文化観光推進拠点計画」をめぐって　54

Message

姫路市長　清 元 秀 泰

アートは市民の皆さまの「くらし」に溶け込んでこそ、その真価を発揮するという信念のもと、４年間、姫路を代表する文化財、姫路城、書寫山圓教寺と美術館が連携し、姫路が長い歴史のなかで培ってきた多彩な地域文化をアートの力で発掘し、磨き上げる「オールひめじ・アーツ＆ライフ・プロジェクト」を推進して参ります。

国際的にご活躍のアーティスト５組をコア・アーティストとして、年度ごとに交代でご担当いただき、城郭・寺院・海・島・山・森林など本市がもつ多岐にわたる地域文化の創造的発信を美術館をプラットフォームとして行っていきます。令和３年度・日比野克彦先生、令和４年度・杉本博司先生、令和４年度から３年間、美術館庭園でアートを展開する「霧の彫刻家」中谷芙二子先生、令和５年度・デジタルアート集団チームラボの皆様、令和６年度・隈研吾先生、本プロジェクトにご参画いただき誠にありがとうございます。

美術館には國富奎三コレクションという近代フランス美術の名品をはじめ素晴らしいコレクションがございまして、初年度をご担当いただいた日比野先生はマティスやブランクーシの作品にインスパイアされ、新たな作品を生み出してくださいました。また、1年を通じて展開された「明後日朝顔プロジェクト」は、書写山から播磨灘の家島諸島まで、人々の心をつないでくれました。

このたび初年度、第１回目の「オールひめじ・アーツ＆ライフ・フォーラム2021」の貴重な記録が発信される運びとなりました。ご協力賜りました関係各位に心より感謝します。まだ始まって間もない事業でございますが既にこのプロジェクトによって新たな有機的な化学反応のようなうねりを感じておられる方々が全国各地にたくさんいらっしゃいます。

新型コロナウイルス感染症によるパンデミックで私たちの生活は一変しましたが、優れたアーティストの皆様の知見と、歴史的文化資源との連鎖反応が、アフターコロナの姫路の新たな創造に向けて大きな扉を開く起爆剤となり、このプロジェクトがコロナ克服の歴史の中に刻まれることを願います。

4頁、7頁ともに
日本の心象　刀剣、風韻、そして海景 第3章
たまはがねの響
音と光のインスタレーション　2021

ステインドグラス《芸術の曙》
立花江津子　1983年
玉鋼製明珍火箸
明珍宗敬　2017年
撮影：森山雅智

「オール ひめじ・アーツ&ライフ ・プロジェクト」と姫路市立美術館

姫路市立美術館 館長 不動美里

アートは人間の長い歴史において人の生き方や社会の在り方、ひいては世界観のリニューアルに大きな影響を及ぼしてきました。21世紀に入り、国境を越えて価値の多様化、流動化が進むにつれ、未来は予測不能で不確実さを増し、加えて地球規模の環境汚染は災害を激化させ、勃発する紛争や迫害は後を絶ちません。夥しいデジタル情報が溢れるなかで、私達は一人一人の考え方や行動が日々問われる状況におかれています。しかしどんな時代であっても、そして現在も世界中で、繊細な感受性と深淵な思考をもって果敢に表現に挑む人々──アーティスト達(或いはその名で呼ばれない人々も含めて)は、卓越した芸術表現によって人間の知覚の可能性を拡げ、明日の世界観を築く新たな価値観を創造し続けます。

2019(令和元)年末に新型コロナウイルスが出現して以来、人類史上未曽有のスケールと言われるパンデミックを経験するなかで、姫路市立美術館は令和3年度より4ヵ年事業計画「オールひめじ・アーツ&ライフ・プロジェクト」をスタートし、今まさにこのプロジェクト推進のただなかにあります。[※1]

オールひめじ・アーツ&ライフ・プロジェクト

オールひめじ(All Himeji)は、全姫路の・姫路全体のを意味し、アーツ&ライフ(Arts and Life)は、人間が技と叡智を結集して生み出してきた多様な芸術(Arts)と生きとし生けるものの生命活動(Life)の関係を包括的に指します。

姫路を代表する文化資源と言えば、まず近世城郭建築の粋・姫路城、千年の仏教文化の殿堂・書寫山圓教寺、そして宮山古墳をはじめ数多の古墳群がよく知られています。このプロジェクトによって当館は、美的な価値や芸術的創造性という美術館ならではの専門的視座から、これら著名な国指定の重要文化財群はもちろんのこと、海・島・山・森林・田園、豊かな風土に恵まれた姫路全域が擁する有形・無形の地域文化を射程に、様々な分野の第一線で国際的にご活躍中のアーティストを招き、この地に生き、また訪れる多くの人々とともに、多様なライフの輝きを放つアートの営みを推進して参ります。

とりわけ2021(令和3)年から4ヵ年、本プロジェクトは文化観光推進法に基づく「姫路市立美術館を中核とした文化観光推進拠点計画」[※2]の基軸に位置づけられており、姫路の二大文化資源である姫路城と書寫山圓教寺をつなぎ、有形・無形の文化資源の現代的価値を創出・発信する文化芸術クラスター形成に資することが期待されています。もとより「優れた美との出会いの場」として誕生した当館の設立の理念には、「世代を超えて親しまれ、気軽に訪れることができる心のオアシスとして、市民とともに成長発展していく」と謳われています。美術館自体が新たな価値を創出するいきいきとした「創造の現場」となり、地域社会に根差した文化芸術クラスターが生まれることを促すプラットフォームとなることは、設立の理念を今日の時代の要請に応えて具現化することに通じるでしょう。

5人のコア・アーティスト

姫路のローカリティの創造的発信を目指すこの4ヵ年のプロジェクトは、毎年5

軍隊の倉庫時代

姫路市庁舎時代

本のプログラム（フォーラム、美術館庭園アートプロジェクト、圓教寺での長期滞在型公開制作、美術館での個展、美術館所蔵品とのコラボレーション展）を次の５人のアーティストに託し、実践的に積み重ねていくものです。（P11.事業予定表参照）。

令和3年度招聘作家は、地域社会に深く根差した住民参加体験型のアートプロジェクトを展開し、人と人、地域と地域の関係性を創造する日比野克彦氏。令和4年度は、写真表現を起点にあらゆるジャンルを横断し、西洋と東洋の狭間に「観念の橋渡しをする」という意図の下、鮮烈な手法でイメージを現出し独自の世界観を提示する杉本博司氏。令和5年度は、姫路ゆかりの絵師・酒井抱一らが拓いた江戸琳派など近代以前の日本の美意識を歴史的参照点として「超主観空間」によるボーダレスな世界観を創出するデジタルアート集団・チームラボ。令和6年度は、ヒューマンスケールのやわらかな近未来デザインを提案し、22世紀に向かう新たな建築・都市デザイン論を牽引する隈研吾氏。そして令和4-6年度の３ヵ年にわたる庭園アートプロジェクトは、日本のメディア・アートの先駆者であり、場所の気象環境を読み取り人工的に霧を発生させ、「霧の彫刻」を創出し人々の意識変革を促す現代美術家、中谷芙二子氏。

各アーティストには担当年度の事業に年間を通じて携わっていただくとともに、毎年「オールひめじ・アーツ＆ライフ・フォーラム」にご参集いただき、フォーラム形式でのフリーディスカッションやリレートークを行いその言説を集積、アーカイヴ化して参ります。

3重の文化財活用

世界文化遺産・国宝姫路城の敷地内にある当館の建物は、1905（明治38）年に陸軍倉庫として陸軍省技官の宮本平治・井田熊吉の設計により、姫路陸軍兵器支廠（後、第十師団兵器部）の西倉庫として建てられ、次いで1913（大正2）年に北館が被服倉庫として増築されたものです。第二次世界大戦終戦の年の姫路大空襲で中心市街地が焦土と化すなか、姫路城とこのレンガ造りの館は苛烈な戦禍を潜り抜け、先人のただならぬ努力によって今に残されてきたものです。

敗戦後の1947（昭和22）年より、このレンガ館は市役所として増改築して活用され、1980（昭和55）年に新庁舎ができるまで戦後姫路の復興と成長を司る要という使命を担いました。そして1980（昭和55）年、市庁舎移転に伴い、「市民の美術文化の高揚を図る」ことを設置目的とする美術館として煉瓦造りの外壁を保存維持

姫路市立美術館外観

して内部改修され、1983（昭和58）年に待望の美術館が開館し、翌1984年1月17日には博物館法における登録博物館となりました。「優れた美との出会いの場としての美術館活動の展開を基本とする。」という方針や「世代を超えて親しまれ、気軽に訪れることができる心のオアシスとして、市民とともに成長発展していく。」という運営姿勢が謳われた当館は、当時としては極めて先進的で先見の明に満ちた理念を掲げる公立美術館として歴史を重ね、世紀を跨いで市民のための美の殿堂としての使命を担ってきました。今では、近代市民社会の精華であるモネからマティスまでを網羅する「國富奎三コレクション」をはじめ国内外の近現代美術4,611件（令和3年度現在）を収蔵する美術館として成長してきました。近年は、郷土が世界に誇れる美術品として姫路城ゆかりの刀剣から高田賢三のファッション・デザインまで幅広く収集し、コレクションは進化を続けています。

2003（平成15）年には、兵器庫として建てられた煉瓦造建築が、「一時期市庁舎として使用され、後に美術館となった。姫路城の一角にあって、姫路市の近代の歩みを示す建物として親しまれている」という評価を受け、「国土の歴史的景観に寄与しているもの」として、国の登録有形文化財に登録され、名実ともに近代文化の象徴となり現在に至ります。

近年、当館では「3重の文化財活用が実現できる美術館」を標榜して文化庁のご指導下に環境改善を図ってきました。3重の文化財とは、①『国の特別史跡姫路城跡』、②『国の登録有形文化財』、③『国宝・国指定重要文化財』を指します。当館が、「『近世城郭の史跡地に存在する、文化財としての建造物』という2つの文化財を有効活用し、しかるべき保存・展示機能を備える美術館として国宝級の美術品を活用できる」つまり、「3重の文化財活用」を実践する条件が揃った美術館であるという類まれな特長そのものを再認識し、その機能強化に努めています。こうしたなかで2020（令和2）年に施行された「文化観光推進法」に基づき、「姫路市立美術館を中核とした文化観光推進拠点計画」を策定し、2021年、当館は県下で初めて文化観光推進拠点施設として計画認定を受けました。同計画においても、将来さらにこの特長あるポテンシャルを十全に発揮できるよう中長期のビジョンを描いていきます。

来るべき美意識の創造へ

姫路市立美術館は、「オールひめじ・アーツ&ライフ・プロジェクト」によって、地域に生きる美術館であると同時に日本の近現代史を象徴する文化財を器とする美術館として、今を生きる人々の意識を映し、記憶を刻むための歩みを続けます。かつての軍都姫路の軍事力のための武器庫・被服庫が、人間の尊厳に立脚する民主主義行政の拠点という道程を経て、市民社会の成熟の証である「美術館」へ、言うなれば心の武器庫・被服庫へと見事な再生を遂げたという誇るべき史実の重みに思いを致せば、この場所に集積する市民の皆様の何世代にもわたる命の軌跡と喜怒哀楽の記憶そのものがかけがいのない文化資源であることに改めて気づかされます。「３重の文化財活用」を標榜する当館は、「オールひめじ・アーツ＆ライフ・プロジェクト」のアーティスト達とともに、人の営みによって研磨され継承されてきた姫路城が象徴する美の本質的価値の探求をはじめとして、この地に刻まれた歴史の本質を深く読み解き、姫路全域津々浦々の多様性を明るく照らしていきます。そしてこの営みは、世界文化遺産である姫路城下にある美術館としての根源的使命である「人類の知的・精神的連帯」[※3]の醸成のために、なくてはならない来るべき美意識の創造に連なるものとなるでしょう。

一連のプロジェクトが目指す、明日を生きる叡智と希望を汲み上げる創造活動の主役は、世代を超えてこの地に思いを寄せて、訪れてくださる皆様ご自身です。天空を白鷺が飛ぶ優美な姿に譬えられる世界文化遺産・国宝姫路城に寄り添い、凛とたたずむ「赤レンガの美術館」にいつでも気軽にお越しください。

註：
1.本稿は、「新館長のメッセージ　これからの姫路市立美術館」(『美術館だより』Vol.153、2頁、姫路市立美術館、令和４年（2022年）7月)を本書のために加筆修正し改題したものである。
2.「姫路市立美術館を中核とした文化観光推進拠点計画」文化庁HP参照。
3.「国際連合教育科学文化機関憲章（ユネスコ憲章）前文」文部科学省HP参照。
https://www.mext.go.jp/unesco/009/001.htm.

オールひめじ・アーツ＆ライフ・プロジェクトの４ヵ年の事業予定

①フォーラム（拠点：姫路城ほか）
姫路市立美術館を核としたアートクラスター形成を推進し芸術文化発信拠点としての機能強化を図るためのコア・アーティストによる公開ディスカッションや来場者が自由に参加できるフリートーク、リレーレクチャー等を実施。

	アーティスト	トークテーマ例
令和3年度	日比野克彦 杉本博司 チームラボ 隈　研吾 中谷芙二子	姫路の三大建築美の真髄と可能性～姫路城、圓教寺そして美術館
令和4年度		昔も今も建築は美術です
令和5年度		抱一・其一からチームラボへ 江戸琳派の可能性
令和6年度		負けて勝つ城：建築美の勝利とは何か

②庭園アートプロジェクト（拠点：美術館）
世界遺産・国宝「姫路城」・国登録有形文化財「姫路市立美術館」・「13 点の彫刻作品が置かれた庭園」が三位一体を成す稀有な景観そのものを作品化したインスタレーションを展開する。

	アーティスト	テーマ
令和3年度	菅野由弘（作曲家） 明珍宗敬（鍛冶師）	「日本の心象」展 第3章 「たまはがねの響ー音と光のインスタレーション」
令和4年度	中谷芙二子	「霧の彫刻 その1：身体との対話」
令和5年度		「霧の彫刻 その2：風景を聴く」
令和6年度		「霧の彫刻 その3：体・音・光」

③アーティスト・イン・レジデンス（拠点：書寫山圓教寺）
「総合芸術の聖地」（圓教寺住職・大樹玄承氏）を標榜する書寫山圓教寺を拠点とし、姫路市の有形・無形の文化資源をテーマとした滞在型制作や現地でのアーティスト・トーク、ワークショップ、インスタレーション、パフォーマンス、公開制作等を行い、クリエイティブな活動を通じた固有の価値の磨き上げと新たな価値の創出。

	招聘作家	テーマ
令和3年度	日比野克彦	明後日のアートの学校⇔町も海も山も寺も城も人もつながるプロジェクト
令和4年度	杉本博司	《前期》Five Elements 五輪塔-地 水 火 風 空 《後期》Noh Climax 能クライマックス-翁 神 男 女 狂 鬼
令和5年度	チームラボ	総合芸術の聖地にて、超主観空間を考える
令和6年度	隈　研吾	21世紀版〈生き延びるためのデザイン・ワーク〉：これからの用の美

④招聘作家展（拠点：美術館）
アーティスト・イン・レジデンス招聘作家による企画展。姫路城・圓教寺・美術館を創造眼と批評眼の複眼的アプローチで捉えなおして新たな価値を創出し、五感に訴える強度のある展覧会として展開する。

	文化観光拠点施設認定記念特別展及び招聘作家展テーマ	
令和3年度	文化観光拠点施設認定記念特別展 「日本の心象　刀剣、風韻、そして海景」 インスタレーション出品作家：菅野由弘、杉本博司、立花江津子、明珍宗裕、明珍宗敬（順不同）	
	日比野克彦	明後日のアート
令和4年度	杉本博司	本歌取りー日本文化の伝承と飛翔
令和5年度	チームラボ	江戸琳派再考、超主観空間が拓くボーダレスな世界
令和6年度	隈　研吾	自然とはなにかー隈研吾の建築美学、22世紀へのパースペクティブ

⑤招聘作家＆ザ・ミュージアム・コレクション（拠点：美術館）
招聘作家と学芸員の協働によりコレクションを再検証し、招聘作家の作品とのコラボレーションも視野に入れた展開により既存の解釈や価値の更新を試みる。

	アーティスト	テーマ
令和3年度	日比野克彦	The Museum Collection Meets HIBINO 「展示室で会いましょう」
令和4年度	杉本博司	本歌取り式 名画選 ー今、交差する 伝統・対話・創造
令和5年度	チームラボ	The Museum Collcetion Meets teamLab
令和6年度	隈　研吾	The Museum Collection Meets KUMA

令和4年（2022年）3月現在の予定。令和5年度（2023年度）以降のテーマは仮称

日比野克彦

HIBINO Katsuhiko

先端表現としての
アートプロジェクトの先駆者

All Himeji Arts & Life Project Artists

チームラボ

teamLab

前近代の日本の美意識を参照し
「超主観空間」による世界観を創出するアート集団

杉本博司

SUGIMOTO Hiroshi

写真から舞台芸術まであらゆるメディアを横断し
「歴史・時間」を編集する現代美術作家

中谷芙二子

NAKAYA Fujiko

「霧の彫刻」を創出し
自然現象をアートとして提示する現代美術家

隈 研吾

KUMA Kengo

22世紀に向かう
新たな建築・都市デザインの牽引者

オール ひめじ・アーツ&ライフ・フォーラム 2021
アーティストトーク

令和3年度招聘作家 日比野克彦氏
トークテーマ:**姫路から世界に発信する「明後日のアート」**

令和4年度招聘作家 杉本博司氏
トークテーマ:**「日本の心象」から個展「杉本博司 本歌取り」へ**

令和4-6年度招聘作家 中谷芙二子氏
トークテーマ:**霧の彫刻が現代社会に語りかけること**

令和5年度招聘作家 チームラボ 代表 猪子寿之氏
トークテーマ:**コロナ禍を超えて、アートが拓くLifeの可能性**

令和6年度招聘作家 隈 研吾氏
トークテーマ:**自然との共生に向かって 今、姫路の3大建築美〔姫路城、書寫山圓教寺、美術館〕の本質的価値を考える**

トークテーマ：姫路から世界に発信する「明後日のアート」

All Himeji
Arts & Life Project

2021

HIBINO Katsuhiko

Profile

1958年、岐阜県生まれ。2022年4月より、東京藝術大学学長。岐阜県美術館、熊本市現代美術館館長。日本サッカー協会・社会貢献委員会委員長。1982年東京藝術大学美術学部デザイン科卒業、1982年日本グラフィック展大賞受賞。1984年、東京藝術大学大学院美術研究科修了。1986年シドニービエンナーレ参加。1995年、第46回ヴェネツィア・ビエンナーレ日本館出品作家に選出される。2016年、芸術選奨文部科学大臣賞(芸術振興部門)受賞。地域の特性を生かし表現として生み出すアートプロジェクト「明後日新聞社 文化事業部/明後日朝顔プロジェクト」(2003~)「アジア代表日本」(2006~)「瀬戸内海底探査船美術館」 (2010~)「種は船航海プロジェクト」(2012~)等。2015年からは障害の有無、世代、性、国籍、住環境などの背景や習慣の違いを超えた多様な人々の出会いによる相互作用を、表現として生み出すアートプロジェクト「TURN」を監修。2017年度より東京2020公認文化オリンピアードとして実施している。2017年度より「アート×福祉」をテーマに「多様な人々が共生できる社会」を支える人材を育成するプロジェクト「Diversity on the Arts Projects(通称：DOOR)」(2017~)を監修。

日比野克彦

姫路から世界に発信する「明後日のアート」

今年度（令和3年度）4月から既にスタートさせていただいております。

美術館の中で展示するというのはイメージがありましたけれど、それに加えて、これまで私が色々な場所で色々な力を活用して行ってきたアートプロジェクトを、「オールひめじ・アーツ＆ライフ・プロジェクト」という枠組みのなかで繋げて展開していくという壮大なプロジェクトを圓教寺からスタートしていくということがとても新鮮でした。

明後日朝顔プロジェクト

──

圓教寺では摩尼殿で明後日朝顔プロジェクトを行っています。摩尼殿は県指定の文化財ですので、ここにロープをかけても良いか、まず大樹執事長（当時）にご相談させていただいたところ、「やっていいよ」と温かいお言葉をいただいたので、文化財の現状変更の許可を得た上で実施しました。許可をいただいてやるからには、本当に細心の注意を払いながら進めました。

「明後日朝顔プロジェクト」は2003年の大地の芸術祭からはじまり、各地域で繰り返しやってきているので、土づくり・苗づくり・ロープ張りといった作業はある程度ノウハウがあります。けれども、摩尼殿のロープの長さは約8メートル、しかもそれを100本張るという作業は初めてのチャレンジでした。本当に8メートルも伸びるのだろうかっていうのは、私も不安はゼロではありませんでしたが、見事に一番上まで伸び

1

2

3

4

5

てしっかり花も咲いて、本当に驚きました。土は腐葉土をがんばって作りましたが、プランターは普通のものですし、他の地域でも水や土についてはそれぞれ工夫しています。それでは他の地域と何が違うかというと、お勤めが毎朝あるというのは違うんですね。これは他の地域どこもやってません。それと、朝顔の蔓が本当にまっすぐ伸びてるんですね。太陽は動きますから、普通は少しでも日が当たるところに蔓が伸びていくのですが、摩尼殿の朝顔は迷わずまっすぐ伸びている。これがなぜかと考えると、朝のお勤めの声を聞こうとして上に伸びていったとしか考えようがないんですね。しかも、高欄に達してもまだまだ伸びて本堂の中に入ろうとしている。あの姿を見ると、摩尼殿の朝のお勤めの声がこの朝顔を育てているのかなと思います。

今は明後日朝顔もだんだん種を実らせてきて、先週に「根切り式」というものを行いました。収穫に向けて種を枯らすために、水を吸い上げていた根を切るものです。この際に、圓教寺さんのご提案で最後のお水として「洒水《しゃすい》」(加持した水で行う清めの仏教儀式)を行いました。

根切り後の種は枯れたというより実っている、いわゆるお米が実って稲穂が垂れるというあの姿ですね。先端がまだ青い種でそれが根本から順番に枯れていって種が実り、葉っぱが枯れていくという。この姿がいわゆる枯れたというよりかはしっかり実って、そして自ら次にバトンタッチをしていくというそんな時系列がこの1センチの中にもあるんだなと思いました。

1_明後日朝顔プロジェクト@書寫山圓教寺摩尼殿
2_苗植え式(6月6日)
3_摩尼殿の高欄から顔を出す朝顔(8月26日)
4,5_根切り式(10月24日)
1,2,4,5 撮影:喜多直人
3 撮影:谷川直

1

美術館での「明後日朝顔プロジェクト」は美術館友の会の皆さんと一緒に行っています。水やりも友の会の皆さんにしていただいていて、この収穫祭は11月の末に行います。

1_明後日朝顔プロジェクト
@みんなの美術館・姫路
〜思い、記憶をつなぐ種をまく〜

2_壁面左上から
「種は船」のためのドローイング2
「種は船」のためのドローイング5
「種は船」のためのドローイング3
「種は船」のためのドローイング1
「種は船」のためのドローイング4
「種は船」のためのドローイング6
左手前から
莇平丸〔(「種は船」のための模型)より〕
明後日丸〔(「種は船」のための模型)より〕
金沢丸〔(「種は船」のための模型)より〕
すべて金沢21世期美術館蔵

BEFORE20 AFTER21
20世紀以前と21世紀以降をつなぐ
TANeFUNeの物語

「朝顔の種が色々な人を運んで地域とつなげてくれる乗り物みたいだね」、「種の形が乗り物みたいだね」という発想から「種は船」という言葉が生まれました。種が船のような形をしている。じゃあ、船のような種の形をした船を作ろう。ということで、《TANeFUNe》というものを作りました。10年前に制作した船が日本各地を巡って今は姫路の家島諸島・西島に停泊しています。ちょうど2年前に瀬戸内国際芸術祭が開催されるタイミングで香川県の粟島にやってきたんですけれども、今年の春に家島諸島にやってきました。この《TANeFUNe》の2代目船長がそちらにおります喜多さんになります。

2

3_摩尼殿に伸びる朝顔(8月26日)
撮影:喜多直人

4_企画制作: 日比野克彦
《TANeFUNe》2012年〜
撮影:喜多直人

西島では《TANeFUNe》を用いてワークショップを行いました。浜にはいろいろなものが流れ着いています。そういった漂流物について、「なぜここにやってきたのだろうか」、「これは一体、どんな人が何をしたくて使っていたのだろうか」ということを想像して物語をつくってみようというワークショップを行いました。日本にはいろいろな昔話やおとぎ話があります。それらには、お話をつくるきっかけがあって、後世の人に伝えたいメッセージがある。このワークショップでは、そうした昔話やおとぎ話になぞらえて、漂着物から環境問題などをみんなに伝える物語づくりを行いました。

また、西島の兵庫県立いえしま自然体験センターの敷地内にあるコテージをひとつお借りして「船長小屋」を設置しました。そこに、粟島から西島までの移動中に《TANeFUNe》で収集してきた漂着物が集められています。この船長小屋を拠点として、「BEFORE20 AFTER21」というタイトルで《TANeFUNe》によるプロジェクトを実施しています。

1

2

3

4

5

1_粟島にて、明後日朝顔の種が入った玉手箱を受け取る喜多船長(4月18日)
2,3_兵庫県立いえしま自然体験センターでのワークショップ
4,5_船長小屋
1〜5 撮影:喜多直人

6

日比野克彦「明後日のアート」展

――

美術館では「明後日のアート」展が開催されています。現在（2022年9月18日〜11月7日）私がまだ大学生であった80年代のダンボール作品からはじまり、岐阜県美術館所蔵の作品を展示しています。90年代はどんな時代だったかと言うと、阪神淡路大震災があったり、地下鉄サリン事件があったりして、「21世紀はきっと明るいだろう」と思っていた80年代とは違い、「自分たちの足元のことを考えなきゃいけないぞ」と。環境問題のことであったり、社会の行動であったり、本当にこれでいいのだろうかということを考え始めたのが90年代かと思います。そんな時代の中で作っていた私の作品も80年代と比較してみると、少し心象風景的・内省的な、自問自答しているような作品になっております。

「明後日のアート」展では、2000年代の作品も展示されています。2007年に金沢21世紀美術館で制作した99枚の朝顔の種の絵は「明後日朝顔プロジェクト」をきっかけにして生まれた作品です。そして、これらの作品が並ぶ展示室から入ることのできる風除室から外を眺めると、美術館で行っている明後日朝顔プロジェクトの様子を見ることができます。美術館の外で行われているプロジェクトと、美術館の内で行われている展覧会がシームレスに繋がった展示になっています。

7

6_日比野克彦展
「明後日のアート」セクション3
展示風景

7_日比野克彦展
「明後日のアート」セクション1
展示風景

日比野克彦展「明後日のアート」
セクション2展示風景

1

2

3

1_圓教寺大樹玄承執事長(当時)と
日比野克彦(2020年10月9日)
2_書写山・東坂で姫路市街を望む
(2020年10月9日)
3_美術館に咲く明後日朝顔(9月1日)
1,2 撮影:姫路市立美術館
3 撮影:喜多直人

「ヒビノカツヒコの種」
▶「ヒビノカツヒコは種」
糸井重里氏

糸井重里さんと兵庫県立横尾忠則現代美術館の平林恵さんに来ていただいて、3人で話をしました。糸井さん自身も広告業界のコピーライターとして80年代から活動されていましたが、当時のデザインと彼との関係性や、当時の空気感が糸井さんにはどう見えてたのかといったことを話してもらいました。

明後日のアート宣言
逢坂恵理子氏

国立新美術館の館長である逢坂恵理子さんとのトークショーを行いました。明後日朝顔プロジェクトが2007年に金沢21世紀美術館ではじまるのですが、それは2年前の2005年に水戸で行ったのが大きなきっかけになっています。その当時の水戸芸術館現代美術センターのトップが逢坂さんでした。そのような経緯もあって、逢坂さんとは当時の話や80年代の話をしました。

4

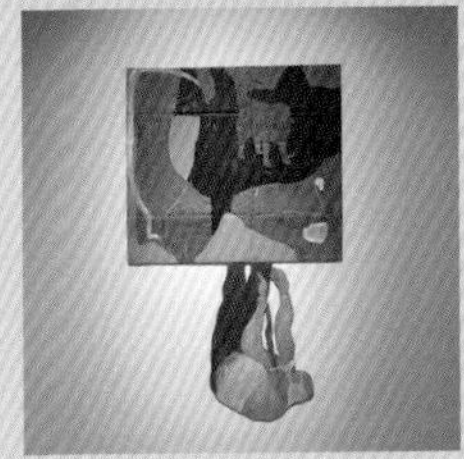

5

6

4_西島・西ヲドモの浜でのワークショップ(2021年7月4日)

5_日比野克彦
《パイナップル、バナナ、イチゴ、白桃、柿、マーガリン、コーヒー、お茶と黒胡椒。」》1996年 作家蔵

6_日比野克彦
《STATUE of Population pyramid(Present from 80's for OSAKA EXPO 2025)》
2018年 作家蔵

起点としての芸術祭
～大地の芸術祭と日比野克彦の出会い、そしてこれから～
北川フラム氏

瀬戸内国際芸術祭や大地の芸術祭の総合ディレクターである北川フラムさんに来ていただきました。今や私の拠点となっている莇平という集落で、「作品をつくらないか」とはじめて声をかけてくださったのがフラムさんです。あのお誘いがきっかけで、「明後日朝顔プロジェクト」がはじまり、「種は船」がはじまりました。当時を振り返りながら、「どうして大地の芸術祭というものがはじまったのか」、「どうして日比野に声をかけたのか」といった、今だからこそ聞けるようなことも話をしました。

【総括】

こんな感じで「明後日朝顔プロジェクト」、「種は船」、そしてこれまでの私の作品の展示をスタートいたしました。まだあと半年あります。「オールひめじ・アーツ＆ライフ・プロジェクト」の4ヵ年計画のスタートを任されたわけですが、「明後日朝顔プロジェクト」については既に「また来年もやろうね」という話が圓教寺さんとの間で出ています。11月6日(2021)に収穫祭があり、法要を聞いて育った明後日朝顔のありがたい種がたくさん取れます。これは終わらないってことなんですね。杉本博司先生、チームラボの猪子先生、隈研吾先生、そして中谷先生が姫路で活動を展開されるなかでも明後日朝顔プロジェクトが関わっていければと思っておりますので、よろしくお願いいたします。

トークテーマ:「日本の心象」から
個展「杉本博司 本歌取り」へ

All Himeji
Arts & Life Project

2022

SUGIMOTO Hiroshi

Profile

1948年東京生まれ。1970年に渡米、1974年よりニューヨーク在住。活動分野は写真、建築、造園、彫刻、執筆、古美術蒐集、舞台芸術、書、作陶、料理と多岐にわたり、世界のアートシーンにおいて地位を確立してきた。杉本のアートは歴史と存在の一過性をテーマとし、そこには経験主義と形而上学の知見をもって、西洋と東洋との狭間に観念の橋渡しをしようとする意図があり、時間の性質、人間の知覚、意識の起源、といったテーマを探求している。世界的に高く評価されてきた作品は、メトロポリタン美術館(NY)やポンピドゥー・センター(パリ)など世界有数の美術館に収蔵。代表作に『海景』、『劇場』、『建築』シリーズなど。

2008年に建築設計事務所「新素材研究所」を設立。MOA美術館改装(2017)、清春芸術村ゲストハウス「和心」(2019)などを手掛ける。2009年に公益財団法人小田原文化財団を設立。2017年10月には構想から20年の歳月をかけ建設された文化施設「小田原文化財団 江之浦測候所」をオープン。伝統芸能に対する造詣も深く、演出を手掛けた『杉本文楽 曾根崎心中』公演は海外でも高い評価を受ける。2019年秋には演出を手掛けた『At the Hawk's Well(鷹の井戸)』をパリ・オペラ座にて上演。主な著書に『苔のむすまで』、『現な像』、『アートの起源』、『空間感』、『趣味と芸術ー謎の割烹味占郷』、『江之浦奇譚』、最新刊に『杉本自伝 影老日記』。1988年毎日芸術賞、2001年ハッセルブラッド国際写真賞、2009年高松宮殿下記念世界文化賞(絵画部門)受賞。2010年秋の紫綬褒章受章。2013年フランス芸術文化勲章オフィシエ叙勲。2017年文化功労者。

杉本博司

1

2

3

「日本の心象」から個展「杉本博司 本歌取り」へ

日本の心象　刀剣、風韻、そして海景

年に1人ずつのコア・アーティストに選ばれまして、来年度（令和4年度）を担当させていただくこととなりました。今年（令和3年）の「日本の心象　刀剣、風韻、そして海景」という展覧会の第2章パートで、会場の半分を使わせていただいたんですが、実は自分のコレクションの中にも古墳時代の刀剣とか古刀が色々とありまして、それと「海景」シリーズの平安時代の刀の刃先みたいに鋭い水平線が非常にうまく繋がったかなと思っています。

《日本海、隠岐》という作品があります。日本の近海は漁船がたくさん出ていたり、定置網が至る所に張ってあったりして、古代人が見たような人っ子ひとりいない海を撮るのは難しくて、実は日本の海はそんなに多く撮っていないんですが、承久の乱で敗れ、隠岐に流された後鳥羽院が見た海がどんなものだったかに興味を引かれて行ってみましたら、本当に人気のない断崖絶壁の上から撮ることができたんですよね。

「我こそは　新島守よ　隠岐の海の　荒き波風　心して吹け」という後鳥羽院の有名な歌を頭に入れながら何日も海に向かっていると、ふっと風が吹いてきた瞬間、その句にあるような情景が現れてこういうシーンが撮れたという、僕にとっては記念すべき「海景」シリーズの初期の代表作になっています。

それから、不動明王が持っている三鈷剣というものがありまして、日光の二荒山《ふたらさん》神社にほぼ同形のものが残っていますが、これを新品で作ったらどうかと思って作ったのが《三鈷剣》です。鎌倉時代の三鈷の柄に、刀鍛冶の大野義光さんに打ってもらった直刀、鎌倉時代の様式で仏師の瀧本光國さんに作ってもらった蓮台で再現しました。この展覧会では、こういう刀剣に対する興味というのもシェアできたのかなと思っています。

本歌取り

それで来年の展覧会テーマを考えた時

1_左より《頭椎大刀（群馬県碓氷郡出土）》飛鳥時代、《古墳時代発掘直刀（原六郎 旧蔵）》弥生時代中期、《中広銅矛》弥生時代中期
2_杉本博司《日本海、隠岐》1987年 ©Hiroshi Sugimoto
3_《三鈷剣》三鈷柄：鎌倉時代／刀身：大野義光、2013年／蓮台：瀧本光國、2013年
全て「日本の心象　刀剣、風韻、そして海景」展示風景　撮影：森山雅智

に、和歌の「本歌取り」というのが日本文化のひとつの重要なキーファクターではないかという近年強く抱いている思いにたどり着きました。「本歌取り」というのは、有名な古歌の一部を自作に取り入れて和歌を作る方法で、オリジナリティが重視される西洋では、人の真似をするのは恥ずべきことだとされますが、日本の場合は、逆に先人の残した遺産をうまく新しい時代に即して変えていくというひとつの表現様式として捉えられてきましたので、「本歌取り」をテーマにしてやってみようと思っています。

Noh Climax　翁神男女狂鬼

例えば室町初期に始まったとされているお能は、田楽とか猿楽といった土着的なものが阿弥衆によって洗練されて、それが武家の式楽になって、そして現在へと繋がっています。そのお能を「神男女狂鬼」というテーマで映像にしようと考えています。

江戸時代までは人工照明がなかったので、朝から夕方まで、1日かけて「神男女狂鬼」という「五番」を見るのが定番だったんですね。まず神様を舞台に降ろす神がかりの能をやって、次に平家物語の武将など「男」をテーマとするもの、その次に女の怨念とか昔の恋の物語など「女」を中心としたもの、それから人間の魂が狂っている状態を演じる「狂」、最後に「鬼」が出てきて終わります。「狂」から「鬼」へと移る間に夜の帳が降りてくるという構成でした。それを姫路城と圓教寺を舞台に、前近代の形で演じます。

4

この前、姫路城創建当時の床が残っている非公開の部屋で、「高砂」を喜多流シテ方の大島輝久さんに舞ってもらいました。朝日が姫路城の東側から差し込んできまして、お城ができた桃山時代には、実際にこういうことがされていたと思うんですよね。演者には、小田原文化財団所蔵になっている杉本コレクションの能面の中から、普段は使えないような桃山時代の能面を特別に使ってもらって、400年以上をタイムワープしてもらう。それを高精細のカメラで撮って、各曲の名場面を15分ぐらいに編集して《Noh Climax》という1時間ぐらいの映像にします。本番では「神男女狂鬼」に特別編として最初に「翁」という曲が加わって、神代の神がかりの状態を再現します。播州の地に神が降りてきて、そこからいろいろな芸能が始まるという仕立てです。

廃仏希釈

ある美術館の倉庫調査のために呼ばれた時に、明治時代のボロボロの箱から、手足がもがれて頭は捨てられてしまった仏像がバラバラの状態で出てきました。邪鬼の目玉の埃を取り除くとギラっとした玉眼が出てきまして、何とか組み立て直してみると彩色も現れて、実に素晴らしい鎌倉時代の四天王像3体がそこに現れたわけです。廃仏毀釈で頭が破壊されているので、昭和30年代に使われていた撒き餌釣り具を頭に付けて、中に唐辛子を突っ込んだ。右手に持っているのは2億年前の恐竜の糞の化石。左手には月の石（隕石）で、これはもう神代のものとしか言いようがない。神代の月の石、2億年前の恐竜の

5

4_《Noh Climax》ロケハン風景（能「高砂」より）シテ：大島輝久（喜多流）2021年10月5日 於：姫路城「イの渡櫓2階」 ©Hiroshi Sugimoto

5_杉本博司《廃仏希釈》（部分） ©Odawara Art Foundation

1

糞の化石、鎌倉時代の四天王像の体、昭和の釣り具に令和３年の唐辛子、と時間意識を表していまして、自分の中ではこれを「本歌取り」としているわけです。

月下紅白梅図

　5年ほど前に、MOA美術館から光琳生誕350周年記念で何か作ってもらえないかという依頼がありまして、尾形光琳の国宝「紅白梅図屏風」を世界最高のデジタルカメラで20㎝角ぐらいの部分に区切って全部撮って、それをプラチナプリントという、もとは19世紀からある技法なんですけども、銀の代わりにプラチナで和紙に焼くという方法でモノクロームの「月下紅白梅図」を作りました。これも江戸時代の非常にカラフルな琳派の屏風を、満月の下で見た光景に転換して作り直した「本歌取り」です。

松林図屏風

　これは20年くらい前に撮影したものです。長谷川等伯の国宝《松林図屏風》に対抗意識を燃やして、負けずとも劣らずというものができないか、写真でもって表現しようとしました。三保の松原とか松島とか天橋立とか、日本中の松の名所を巡って、結局行きついたのが皇居前の松だったんですよね。皇居前の松をぼかして、いい木だけを撮って、それでバラバラにしてまた自分で構成してるんです。だから実際に皇居前に行ってもこういう場面はないんです。これも「本歌取り」と言えば「本歌取り」です。

2

マルセル・デュシャンのレディメイド

——

ヨーロッパでも「本歌取り」に非常に近いことをやったマルセル・デュシャンというアーティストがいます。デュシャンが発明した「レディメイド」というのは、その辺に転がっているものが見つけられたことによってアートになるという考え方です。男子の小便器に「泉」という名前をつけたセンセーショナルな作品を発表しまして、現代美術はデュシャンから始まったとも言われています。そのデュシャンがいろいろ面白い言葉を発していまして、「答えはない、なぜならば質問がないからだ」という禅語みたいなこと言ってるんですね。それを「無答故無問」つまり「答えはないよ、ゆえに問題がない、ゆえに答えがない」というのを私が書にしました。デュシャンの「本歌取り」をまた「本歌取り」していて、「本歌取り」がチェーン・リアクションによって連なっていくひとつの例と言えます。

光学硝子五輪塔

——

これは光学ガラスで作った五輪塔で、中に「海景」の縮小されたフィルムが閉じ込められています。五輪塔というのは仏の舎利を入れる容器なんですけども、「五大」と言って、地・水・火・風・空という宇宙の構成要素がこの5つの形に収められています。本来ならばインド伝来の宝篋印塔などがあるんですけど、平安時代にこの形が日本で考案されて、それがいろんな形になって今でも伝わっているわけです。これをガラスで作るというのも「本歌取り」のひとつであると言えます。

那智瀧図

——

これは那智の滝を写真に撮影したものです。那智の滝は1977年から研究していまして、根津美術館にある有名な国宝《那智瀧図》に、大和絵のような、今で言うならドローンで撮影して絵に描いたような空中俯瞰の視点が確保できないかとずっと研究していてようやくできたものです。何か神々しい那智の滝の光景がある程度は捕まえられたんじゃないかなと思います。ですからこれは《那智瀧図》の「本歌取り」となっています。

こういった枠組みで展示をしていきたいなと考えています。本歌取りというのは和歌にも俳句にも絵画にもあります。コピーではなく、コピーを超えて新しい時代に即して、その時々の文化が花咲いていくというようなテーマでこれから展開していきたいと思っています。

1_杉本博司《月下紅白梅図》2014年
©Hiroshi Sugimoto
2_杉本博司《松林図屏風》2002年
©Hiroshi Sugimoto
3_杉本博司《光学硝子五輪塔》
©Hiroshi Sugimoto
4_杉本博司《那智瀧図》5（部分）
2012年
©Odawara Art Foundation

3

4

トークテーマ：**霧の彫刻が現代社会に語りかけること**

All Himeji
Arts & Life Project
2022-2024

NAKAYA Fujiko

Profile

1933年、北海道札幌市生まれ。父は世界の雪氷学を率いた実験物理学者・中谷宇吉郎（1900－1962）。1957年、アメリカ・イリノイ州ノースウェスタン大学を卒業。初期の絵画制作を経て、ロバート・ラウシェンバーグらが結成した芸術と技術の実験グループ「E.A.T.」に参加。その活動の一環として1970年の大阪万博ペプシ館で、初めての「霧の彫刻」を発表。また、1970年代には日本におけるメディア・アートを先導。社会を鋭く見つめたビデオ作品の制作や、海外作家との交流を推進し、1980年「ビデオギャラリーSCAN」を東京・原宿に創設。日本の若手ビデオ作家の発掘と支援に尽力した。

霧の作品は、世界各地で90を超える。2017年にはロンドンのテート・モダン新館で新作を発表。同年、フランス芸術文化勲章コマンドゥール受勲。2018年、第30回高松宮殿下記念世界文化賞彫刻部門を受賞した。2018－19年には水戸芸術館で初めての大規模な個展を開く。続いて日本、アメリカ、ドイツ、フランスで次々に新作を発表。2021年4月に開館した長野県立美術館の前庭に、霧の彫刻《－Dynamic Earth Series I－》が常設された。2022年、ミュンヘンのハウス・デア・クンストで、大規模な回顧展を開催している。2022年から2024年にかけ、姫路市立美術館「オールひめじ・アーツ&ライフ・プロジェクト」コア・アーティストとして、庭園アートプロジェクトを展開する。2022年10月文化功労者に選出。2023年2月ウルフ賞芸術部門受賞。

中谷芙二子

1

2

霧の彫刻が現代社会に語りかけること

1970年/「霧の彫刻」の起点：テクノロジー、地球環境、そしてアート

私が「霧の彫刻」と呼んでいる一連の作品、純粋な水を使った人工霧による環境彫刻を作り始めて50余年になる。学生時代を米国で過ごした私は、大学での美術の講義が常にcompositionをベースに語られることが不満で、実技のクラスではいつもdecomposition series =腐る絵（油絵）を描いていた。そして腐ることは動植物にとっては“死”だが、微生物にとっては“生”を意味するプロセス、このネガ/ポジ反転の相互作用で成り立つ世界に没頭する。やがて私の関心は水蒸気が凝結して霧粒が生まれ、霧粒が蒸発して大気へと戻っていくプロセスが常に同時進行で起っている雲の“無限循環の世界” に行き着く。太古の昔、おそらく地球とともに生まれた水の微粒子の群れは、変幻万化して停まることを知らない雲霧として神話の世界でも活躍し、万葉の時代には、人々は霧を大気の息吹と信じ、生命の源として詩にも詠んでいる。

その変幻自在なダイナミズムを大気の呼吸として詠われてもきた霧を、邪魔者扱いして葬ってしまったのはつい最近のこと。飛行機が飛べない、車がハイスピードで走れない、濡れる、冷たい、覆う、見えない、摑めない、怖い…などなど。最近では、霧の名所 “サンフランシスコの霧”が観光ガイドブックから姿を消した。ガイドが観光客を連れて行っても、霧は時間通りには現れてくれないからであろう。

この変容してとらえどころのない霧を、人工的に生み出すチャンスが私に訪れたのは、偶然というか必然というべきか、1970年の大阪万博の「ペプシ館」だった。アーティストとエンジニアが1人の人間として協働し、来たるべきハイテク社会をヒューマンな価値観の上に立脚させる事を目論んだE.A.T.(Experiments in Art and Technology: 画家ロバート・ラウシェンバーグと技術者ビリー・クルーヴァー他によって1966年にN.Y.で創設された）に参加したのが発端であった。

E.A.T.のデザインチームは、ペプシ館の模型を見て、「これは、バックミンスター・フラー発案のジオデシックドームのまがい物だ。アグリーだから雲で隠してしまおう！」という話で湧いていた。丁度その頃、私は温度差を使った作品を創りたいと考えていたこととも重なり、加えて父（雪の研究者、中谷宇吉郎氏）の関係もあって「気象

1_Pepsi Pavilion, Fog Sculpture #47773, EXPO '70, Osaka, Japan 1970
2_Earth Talk, Fog Sculpture #94768, The 2nd Biennale of Sydney, The Domain, Sydney, Australia 1976
Photo 1,2：Fujiko Nakaya

のことなら芙二子にまかせればよい」というクルーヴァー会長の一声で、私はペプシ館のドームを覆う霧を創るためのリサーチを一任されたのだった。

20世紀はテクノロジーが席巻した科学の世紀。環境問題や社会的コストには目もくれず、産業を前進させることだけを考えてきた時代で、その象徴的頂点が1970年の万国博。それは、同時に世界が初めて公害という問題に目覚めた年でもあり、世界初の国際環境会議がブラジルで、そしてスウェーデンで相次いで開かれ、地球規模の“汚染”が問題になった年でもある。

人類の進歩と調和を掲げ、バラ色のハイテク未来を約束した大阪万博は、国内ばかりか外国からも大勢の観光客を集めて記録的な成功を収めた。一方、万博に関わった多くのアーティストたちは、またとやって来ないであろう自分の芸術表現のチャンスと、マス消費社会に向けて突進する現実との間で苦悶し、閉会を待たずに都市からドロップアウトして地方に移り住んでいった人たちもいる。

アーティストの多くが反発を感じていた。そんな時期に「未来のテクノロジーの方向性をアーティストの参加によって変えていこう」という野心に満ちたE.A.T.の活動に私も参加した。

「霧の彫刻」の2つの条件

万博のオープンまでには1年足らずしか残されていない。私の“霧行脚”は、屋外で大量の水霧を発生させるための噴霧装置を探すことから始まった。大学の気象学研究室に始まり、防災研究所、果樹園の遅霜防止用フォグ、掘削用ウォータードリル、クーリングタワー、脱脂粉乳ドーム、スチームクリーナーなどなど。現場の研究者を訪ねて、日本全国を回った。私がアーティストとしてこだわった条件は2つ。まずは「人が中に入れる霧」であること。そしてもう1つは「大気とインタラクト（相互作用）する霧」。

人が中に入れるためには、ケミカルではなく、「人が飲める水＝potable water」を使った霧であること、そして外気とインタラクト（相互作用）する霧であるためには、その粒子サイズが自然の霧の粒径とほぼ同じであること。

尋ね回ってようやく巡り会えた人、2つの条件を満たすノズルの開発を約束してくれた技術者は、当時カリフォルニアで様々な気象観測機器を独自に開発していた雲物理エンジニアのトーマス・ミー氏。当時彼は果樹園の霜防止用のフォグマシンを考案し、商品化したところだった。

私がロサンゼルス郊外の事務所に彼を訪ねると、彼は摺り上がったばかりのケミカルフォグマシーンのA4版チラシを見せてくれた。

私がpotable water fog（飲める水霧）の発生装置を探しているというと、彼は、以前に水霧用のノズルを開発したが、クライアントが水霧は経済効率が悪いからと言って、ケミカルフォグを選んだので、研究はそこでとまっている。しかしE.A.T.が残りの研究費を補助してくれれば、もう一度そのノズルを改良して水霧用ノズルを提供できる、ということだった。E.A.T.はもちろん1万ドルの追加研究費を出してくれた。そして2ヵ月後、ミー氏が自宅の裏庭で開いた最初のミーフォグシステムのお披露目によばれ、私もミー氏とともにその中を歩いた。初めて体験する純水の人工霧。その複雑な動きと形状と感触は、今も忘れない。環境とフィードバックする霧は、悪魔の“耳”のようにそれぞれに勝手に動いている。デザイナーには作れない“生きている霧”。“ディコンポーズ”する霧。アーティストが作品をつくるために、ケミカルではない“純粋な水”の霧にこだわったのが機縁とな

1

2

3

1_Foggy Forest, Fog Environment #47660, Children's Forest, Showa Kinen Park, Tokyo, Japan 1992
Photo：Shigeo Ogawa

2_Moss Garden Nicey-sur-Aire, Fog Garden #07172, Nicey-sur-Aire, Lorraine, France 2011
Photo：Fujiko Nakaya

3_London Fog, Fog Performance #03779, "BMW Tate Live Exhibition: Ten Days Six Nights," Tate Modern, London, U.K., In collaboration with Min Tanaka (Dance), Shiro Takatani (Lightning), Ryuichi Sakamoto (Music) 2017
Photo：Noriko Koshida

り、ミー氏自身も自社のすべてのプロダクトをエコな水霧に切替え、独自の研究を重ねて、タービンやコンピュータ・ストーレッジのクーリングなど、未開拓の新しいマーケットを開拓し、今ではエコロジカルな水霧によるクーリングシステムに特化した先端企業となって、世界をリードしている。

一方、私は万博終了後も、ニューヨークのE.A.T.本部と連携して芸術と技術の実験プロジェクトを続ける。1971年には小林はくどう、森岡侑士とともにE.A.T.Tokyoを組織し、世界の4都市をテレックスで結んで市民同士がQ＆A方式で自由に情報交換する情報彫刻"Utopia Q＆A 1981"を実施。続いてコンピュータのランダム・アクセス機能を公共メディアに生かした"老人の知恵"など、ビデオによるコミュニケーション・プロジェクトを推進して、メディア・エコロジーの実践を続ける。

カオス、対流、触感、記憶—
外と内のフィードバック

万博以降、私が最初に関わった霧プロジェクトは、スウェーデンのクナーベルシェア島を舞台に、島全体を1つの楽器として演奏するというデイヴィッド・チュードアの島環境コンサート"Island Eye Island Ear"(1974) だった。

E.A.T.会長のクルーヴァー氏とチュードア自身からの招きで私は二つ返事で遠征チームに加わり、ストックホルムからタクシーボートで40分の同島で合流する。後に凧のアーティスト、ジャッキー・マティスも加わり、場所をスウェーデンからアメリカに移して、島探しは続いた。島の大きさ、形状、植栽、水系、地質などの環境条件を観察・記録し、気象観測を行い、初の霧プロジェクトの実現を待った。クルーバー氏の渾身の努力にも関わらず、この環境と技術、科学とアートの融合を志した壮大なコンサートは、助成する機関も投資する企業もなく、ファンド不足で未完に終わる。

その2年後(1976)、私はオーストラリアのシドニー・ビエンナーレに招かれ、美術館前の市民公園の芝生を一面霧で埋める"Earth Talk" と題した作品を作った。霧の彫刻が初めて美術として公認されたのである。子どもたちは浜辺へ行く代わりに、毎日水着で霧の渚を訪れ、霧の中に入ったり出たりを繰り返し、大人も犬もそれに続く。明らかに境界突破を楽しんでいる。帰り際

にそっと私の耳元に「霧を作ってくれてありがとう」とささやく女の子もいた。私はこの時から、この純粋な全感覚的な喜びを、子どもたちから奪ってはいけない。霧を媒介して自然とまみえるこの原初的な喜びを子どもたちに返そうと思った。その決意は今も変わっていない。

小型の個人用ビデオをSONYが日本で初めて発売したのもこの同じ大阪万博の年。私たちはゲリラTVと称して、総重量20kgのビデオデッキとカメラを担いで各地をめぐり、地元の住民や支援者たちをインタビューして地元にフィードバックする。いわゆる機械的なフィードバックではない。ビデオの効用は、感情や記憶や情緒がともに互いに作用し合う、そのプロセスこそがビデオの醍醐味であることを実感する。

最近“フィードバック”ということばは、日常の会話でもよく耳にする。“折り返す”とか“帰還する”という意味の技術用語で、出力側のエネルギーの一部を入力側に戻す、という意味。そこには必ずdelay＝遅れ、ズレ＝が含まれることを、私はビデオを手にしたとき初めて知った。昨今は、そのこと＝遅れ、ズレ＝を意識してこの言葉を使っている人は殆ど皆無であろう。70年代初期に小型ビデオを手にして初めて、私はフィードバックの本当の意味を学んだ。

個人用ビデオとネットワークによるメディア生態学の実践を説いた指南書“ゲリラ・テレビジョン”の著者 マイケル・シャンバーグが書いている。「初めて自分の母親にビデオカメラを向けて、ライヴフィードバックを試みたときのこと。ビデオを通して自分のナマ身の姿とまみえた母が、初めて笑った！という。父が亡くなって20年この方、一度も笑顔をみせたことのなかった母が……」。

《白鷺が飛ぶ》と題した私の心は、あのストイックで勇壮な白鷺が、いつの日か姫路から去って行ってしまうことを、ふと寂しいと思ったからである。最近のロンドンからの便りに、南の海岸にはサギが少しずつ戻ってきたのを見たという人はいるけれど、大白鷺が戻ってきたという知らせは聞かない……と。

※本文はアーティストトークに基づき中谷先生ご本人からご寄稿頂きました。

4

5

4_Memory of Wind, Fog Sculpture #47636, “Anti-Gravity,” Toyota Municipal Museum of Art, Aichi, Japan 2013
Photo：Hiroshi Tanigawa

5_Chronotope of the City in Fog Former, Fog Installation #61286, Kitagawara Municipal Apartment Complex, Kyoto, Japan 2020
Photo：Junya Takagi

トークテーマ：コロナ禍を超えて、アートが拓くLifeの可能性

All Himeji
Arts & Life Project
2023

チームラボ

Profile

猪子寿之 チームラボ代表。1977年生まれ、徳島市出身。2001年東京大学工学部計数工学科卒業と同時にチームラボ創業。大学では確率・統計モデルを、大学院では自然言語処理とアートを研究。

チームラボは、アートコレクティブ。2001年から活動を開始。集団的創造によって、アート、サイエンス、テクノロジー、そして自然界の交差点を模索している国際的な学際的集団。アーティスト、プログラマ、エンジニア、CGアニメーター、数学者、建築家など、様々な分野のスペシャリストから構成されている。

チームラボは、アートによって、自分と世界との関係と新たな認識を模索したいと思っている。人は、認識するために世界を切り分けて、境界のある独立したものとして捉えてしまう。その認識の境界、そして、自分と世界との間にある境界、時間の連続性に対する認知の境界などを超えることを模索している。全ては、長い長い時の、境界のない連続性の上に危うく奇跡的に存在する。

ニューヨーク、ロンドン、パリ、シンガポール、シリコンバレー、北京、メルボルンなど世界各地でアート展を開催。ミュージアム・大型常設展を東京・お台場「チームラボボーダレス」、東京・豊洲「チームラボ プラネッツ」、上海「teamLab Borderless Shanghai」、マカオ「teamLab SuperNature Macao」などで開館した他、今後もハンブルク、ユトレヒトなどでオープン予定。

teamLab

1

コロナ禍を超えて、アートが拓くLifeの可能性

カメラのレンズで空間を切り取ると、どうしても画面が見る人との境界面になってしまう。見る人は、視点が固定されるため、自分の身体を捨ててしまうことになります。僕たちは、レンズとは違う論理構造で空間を切り取ることによって、見る人との境界面が生まれず、視点も固定されず、身体を動かせる、そういう映像作品を作っています。こうして僕たちは、自分と世界が連続しているという関係性を体験できる作品をつくってきました。普通、レンズで切り取った映像を見るとき、人は視点が固定されるので、立ち止まるか座るかして見るんですが、我々のミュージアムでは、みんな歩きながら、身体を動かしながら映像を体験します。まるで映像空間のなかに自分の体があるような体感を得ることができます。身体ごと境界なく空間の中に没入できる彫刻のような作品もたくさん創っていて、豊洲につくったミュージアム（チームラ

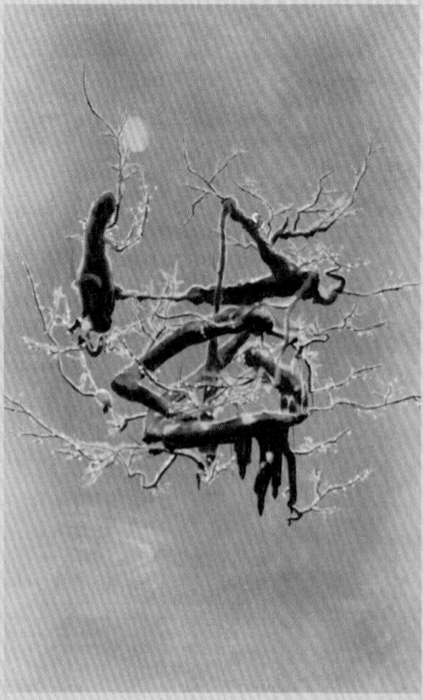

2

1_《生命は生命の力で生きているII / Life Survives by the Power of LifeII》
teamLab, 2020, Digital Work, 6 min (loop), Source Calligraphy：sisyu
©teamLab

2_《生命は生命の力で生きている / Life Survives by the Power of Life》
teamLab, 2011, Digital Work, 6 min 23 sec. (loop), Source Calligraphy：Sisyu
©teamLab

ボ プラネッツTOKYO DMM)では身体性をコンセプトにしています。

コロナ禍のなか無観客で開催した個展「祈り」展

——

コロナ禍のなかで、ミュージアムに来ていただくことができなかった期間に、僕たちは無観客で「祈り」展を開催しました。展示作の《The Eternal Universe of Words》は、3次元空間の闇に炎を表す光で般若心経の文字を書いて、高野山の僧侶の方にその1文字1文字を読んでいただき、その声の響きとともに文字が浮遊し、そのなかを人々も浮遊するかのように体験できる作品。また、《Light Sculpture of Flames》は立体的な炎の光を体感できる作品。元々、炎は立体物ですけども人間はそれを平面的に見ている。実際、炎は光の点の集合でできている。中心の光の強い方が勝って、目に入ってくるので平面的に見える。そんな炎の塊を箱にいれたような、光の点の集合でできている空間作品の中に入ると炎の光を体感できます。人を呼べなかった時期、僕たちは、この「祈り」展を約1ヵ月基本的に無観客でただただ開催していました。

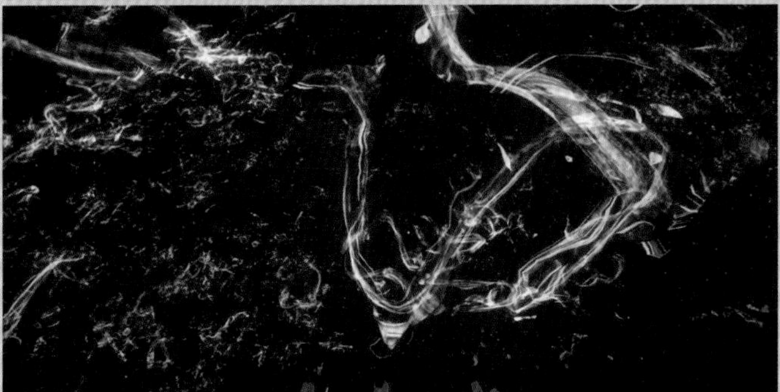

3

3_《The Eternal Universe of Words》
teamLab, 2021, Digital Installation, Continuous Loop,
書手本：空海弘法大師,
Sound：teamLab,
Voices：高野山三宝院,
Field Recording：野山三宝院
©teamLab

1

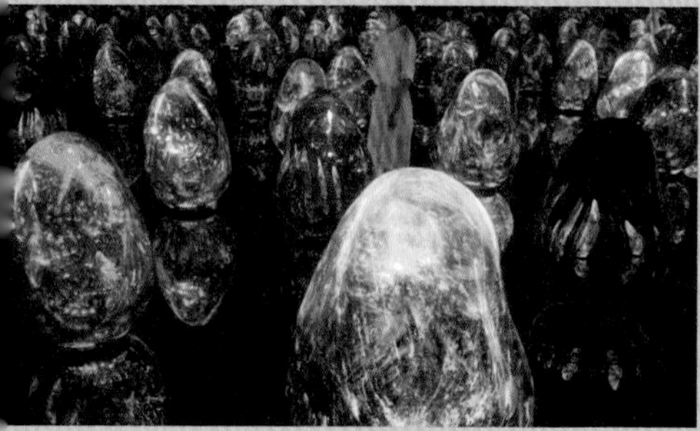

2

1_《Floating Flower Garden: 花と我と同根、庭と我と一体 / Floating Flower Garden: Flowers and I are of the Same Root, the Garden and I are One》
teamLab, 2015, Interactive Kinetic Installation, Endless, Sound: Hideaki Takahashi
Orchids(except Vanda and Renancera): Haruyuki Kato(Zama Orchid Center)
Vanda and Renancera: Kazuki Kaneta(moku), Yoshinobu Ueda(ACRE8), teamLab ©teamLab

2_《呼応する小宇宙-固形化された光の色, Sunrise and Sunset / Moss Garden of Resonation Microcosms - Solidified Fight Color, Sunrise and Sunset》
teamLab, 2022, Interactive Digital Installation, Endless, Sound: Hideaki Takahashi, Production Support: Hirohito Saito(OryZa Design), Shinya Yoshida(SYD INC.) ©teamLab

生物とは、エネルギーの秩序の状態が非常に高くなった状態ではないか

コロナ禍の状況の中で、僕たちは生命についてより深く考えるようになりました。今の生物学上の定義では、ウイルスは無生物であり、生物ではないことになってしまう。生物学上の今の定義で、生命とは何かということを定義できないのではないか、もはや、生物と無生物の境界がつくれないような状態になっている気がしています。僕たちは、「生物とは、大きなエネルギーの流れの中で、エネルギーの秩序の状態が非常に高くなった状態なのではないか」と考えていて、その考えに基づく作品が、《質量のない雲、彫刻と生命の間》です。

エネルギーの秩序が高い状態の場をつくり、そこに泡、石鹸の泡なんですが、泡の海を作ってやると、まるで生命が生まれるかのように、浮き上がって塊になっていく。どんなものでも質量があるわけで、沈むか

《質量のない雲、彫刻と生命の間 / Massless Clouds Between Sculpture and Life》
teamLab, 2020, Interactive Installation, Sound：teamLab ©teamLab

《Light Sculpture of Flames》
teamLab, 2016, Interactive
Light Sculpture, Endless,
Sound：Hideaki Takahashi
©teamLab

浮くか、天井にぶつかるか地面にぶつかるかするはずが、これらは天井でも地面でもない、中途半端な中空に漂い続ける。人々はこの中に没入しながらこの状態を体験していくことができる。人が入ると穴が開いて壊れるんですが、少々壊れても自己治癒するんです。

古典的な力とは違った状態で存在するもの

――

生命と同じように、1時間くらいで寿命がきてしまうので、だんだん崩れて、また新しい塊が生まれる。生まれては崩れてっていうのを繰り返していく空間で、……生と死が永遠に繰り返されていくような、生と死の狭間に漂っているかのような体験が得られます。僕は、東アジアに育ったので、何かその宗教的な体験にも近いような体験、死に対する恐怖すら和らぐような感じがするんですね。

これらは浮いて動いているんですが、我々がこの塊を動かそうとしても、まるで動かない。風で仰いだり、息を吹きかけると、動くどころか、粉々に壊れてしまうんですね。我々が考える古典的な力とは違った状態でこれらは存在している。そんな作品です。

もともと、生きるということや自分という存在は、世界と境界なく連続してる存在なのではないかと思ってですね、例えば、レンズとは違った境界のない空間の切り取り方で作品を作ってきたり、自分と世界とのより連続的で一体的な関係を築けるような彫刻作品や映像作品を作ったりしてきました。最近では、僕たちは、生命とは一体何なのか、連続的なエネルギーの流れの中で、奇跡的に生まれた秩序の場における結晶状態なのではないかと思って、このような作品をつくっております。

トークテーマ：自然との共生に向かって 今、姫路の3大建築美
〔姫路城、書寫山圓教寺、美術館〕の本質的価値を考える

All Himeji
Arts & Life Project

2024

KUMA Kengo

Profile

1954年生まれ。東京大学大学院建築学専攻修了。東京大学教授を経て、現在、東京大学特別教授・名誉教授。1964年東京オリンピック時に見た丹下健三の代々木屋内競技場に衝撃を受け、幼少期より建築家を目指す。大学では、原広司、内田祥哉に師事し、大学院時代に、アフリカのサハラ砂漠を横断し、集落の調査を行い、集落の美と力にめざめる。コロンビア大学客員研究員を経て、1990年、隈研吾建築都市設計事務所を設立。これまで30ヵ国を超す国々で建築を設計し、日本建築学会賞、フィンランドより国際木の建築賞、イタリアより国際石の建築賞、他、国内外で様々な賞を受けている。その土地の環境、文化に溶け込む建築を目指し、ヒューマンスケールのやさしく、やわらかなデザインを提案している。また、コンクリートや鉄に代わる新しい素材の探求を通じて、工業化社会の後の建築のあり方を追求している。

隈 研吾

photo：©J.C.Carbonne

1

自然との共生に向かって
今、姫路の3大建築美〔美術館、姫路城、書寫山圓教寺〕の本質的価値を考える

武田五一の建築

今回姫路のプロジェクトに参加して、姫路城、圓教寺、姫路市立美術館を見て、姫路の建物というのはどれも優しいなと感じました。圓教寺の摩尼殿が武田五一の設計だというのは、実は今回行くまで知らなかったんですが、武田五一は何か不思議なところがある建築家だと思っていました。というのは、彼は近代建築史の中で少し違う方向を向いていたからです。

明治期には辰野金吾という建築家が初代の日本人の建築の先生になって、富国強兵で強い日本を作るために、がっしりした強くて安定した建築を求めていた。一方、武田五一は辰野さんの弟子ですが、明治の富国強兵の時代が忘れてしまった軽やかさや遊び心を探求した人で、辰野金吾からは「変な弟子」と非常に嫌われていたという説もあります。武田五一が京都大学の建築学科の初代教授となった時に、教育においても、今までの辰野流とはちょっと違う方向に目を向けています。例えば、強い国作りには関係ないものとして無視されていた茶室に初めて関心を示したんですね。東京大学の建築というのは、奈良時代の寺院建築をもっとも研究すべきものとしていて、がっしりしていて強い国家のイメージ作りにぴったりなんですけど、茶室については、本質には関係ない、数寄者の遊

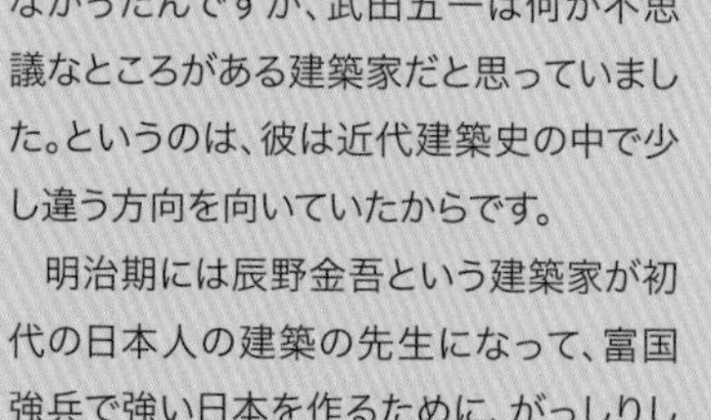

世界遺産 姫路城

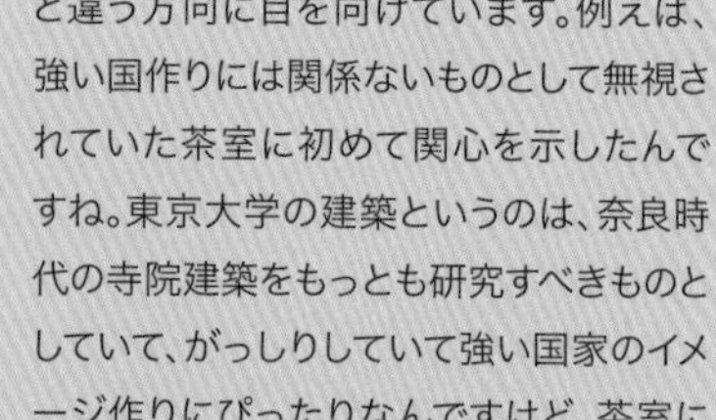

書寫山圓教寺 摩尼殿

びの空間だと考えられた。それに武田五一が初めて目をつけた。その遊び心、軽やかなものへの志向を、この摩尼殿の中にたくさん見つけて、僕はすごく嬉しくなったわけです。

東京の本郷に武田五一が作った求道会館がありますが、彼がアメリカ旅行で木造の木の組み方の面白さを発見して、急遽、求道会館の構造をこれでやれと手紙を書いたという逸話があります。その構造に対する興味が圓教寺摩尼殿の懸造《かけづくり》のフレームに隠れているような気がしました。その後、構造の軽やかさとか、茶室への好みという武田五一の方向性は、日本の建築の世界でどんどん存在感が大きくなっていきます。摩尼殿を見ると、武田五一の本領はこんなところに隠れていたんだという気がします。

軽やかな構造性

——

今日紹介するのはそういう「軽やかな構造性」で、それは自分たちで材料を持ち寄って作れるという軽やかさにも繋がります。「千鳥」という飛騨高山の木組みの技を3次元の建築に応用すると、釘も糊も使わずにみんなでこれが作れる。刻みをした3㎝角の部材をミラノに持って行って、学生たちが釘も糊も使わずに組んでいった。建築部材というよりは、積み木の部材スケールのものを組んで作るのが非常に武田五一的だと考えています。

日本に戻って、実際の建築でこれをするために構造のテストをして、柱なしで細い棒だけを組んで10mの建物を作ってみました。これは現代の懸造みたいなものなんですが、武田五一をもっと細く軽やかに、より茶室的にしていったようなものです。

それを今度は東京の青山の街中に持ってきて、森のような建築を組み上げてみた。6㎝角の棒をひたすら組み上げていくと、地獄組という組み方で1個の建築ができるわけです。四万十川の源流の町である高知県の梼原《ゆすはら》では、そういう細いものを使って橋を作ってみました。熱海の丘の上にあるこの建物も「木の棒」系です。ここでは、木の棒を上に乗せていって1個の屋根を作る。大工の技というよりは、みんなが木の棒を持ち寄って積み上げて作るという考えです。木の棒に、鉄の10倍と言われる強度を持つカーボンファイバーを組み合わせることで、この構造が地震にも強いものになる。いわば積み木とあやとりを組み合わせて建築を作るようなものです。

2

1_GC Prostho Museum Research Center
Kasugai, Aichi, Japan 2010
Photo:Daici Ano

2_Yusuhara Wooden Bridge Museum
Takaoka, Kochi, Japan 2010
Photo:©Takumi Ota

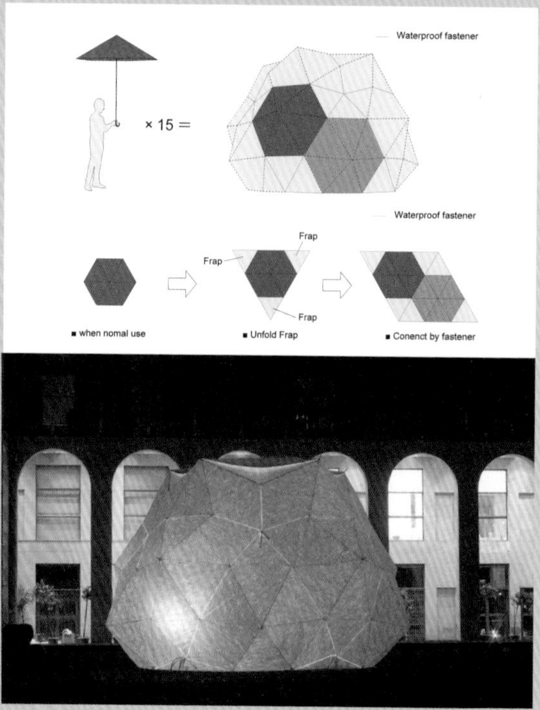

1

2

3

1_Casa Umbrella
Milan, Italy 2008
Photo：Yoshie Nishikawa

2_Water Branch House
New York,U.S.A. 2008
©KENGO KUMA AND ASSOCIATES

3_Jyubako
Mobile Home 2016
©KENGO KUMA AND ASSOCIATES

民主的な建築

このような、ある種の建築の民主化みたいなものの延長線上に、小さな傘を組み合わせて家を作るプロジェクトがあります。これは数学的な考え方に基づいていて、正二十面体の15個が地上に出ている形なんですが、地上に出ている15本の傘に付いているジッパーを組み合わせていくとドーム状になる。大災害があっても傘1本あれば安心という、ある種の避難住宅です。強度のある素材を使って、膜自体も構造体の一部として使うという軽やかな構造が武田五一的かなと思っています。

同じように民主的な建築というのを探してたどり着いたのが、ポリタンクを組み合わせて作る建築です。ポリタンクは水を入れると重くなって、風が吹いても飛ばないようなものを作れるし、水を抜けば軽くなって、どこへでも動かせる。6年ぐらい前に、ニューヨークのMoMAでの「ホーム・デリバリー」という展覧会のためにデザインした《Water Branch》は、回転成形で型を作った特別なポリタンクを組み合わせて壁、床、屋根を作って、そこに水を流せるようになっています。外に水温をコントロールするヒートコレクターを作って、それをポリタンクの集合体の中に流すと、ひとつの生物の体のような自律的な温度調整システムができる。これもある意味では非常に民主的な考え方で、空調機がなくても水で空間をコントロールできるという環境的な新しいアイデアを入れてみました。レゴを組み合わせるようにして家のサイズを変えることもできるし、バスタブとか厨房も全部これの組み立てでできています。自分の手で回しながら発電をして、中を明るくすることができます。

その延長線上でトレーラーハウスを作ってみたらすごく需要が多くて、これを集めてホテルやレストランをするという申し出が全国から来ています。東京の牛込天神町に引っぱっていって、近くの空き地にこれを据え付けて10席ぐらいのレストランをやるとかですね。そんな形で、武田五一が茶室に目を付けたように、ガシッとした安定的なものとは逆の方向の、民主的な動き回る軽やかな建築をやっているわけです。

そういう原理が究極に凝縮されたのが《TSUMIKI》で、西欧的な煉瓦とか石を積み上げるという重たいものに代わって、もっと軽やかなものを志向していくと、薄い板を三角形にしたものをどんどん組み立てて増殖する形になっていくわけで、西欧的な辰野金吾的な従来の重厚な積み木に対して、武田五一的な軽やかな積み木をやってみたわけです。

姫路の建築物

姫路市立美術館のレンガの建物が白鷺城（姫路城）とこんな風に対峙しています。白鷺城も本当に美しい名城ですけど、実は非常に実戦的な目的で作られたものでありながら、このように優美な姿をしているのが日本のお城の面白いところです。木造で屋根を勾配屋根でとかなくてはいけないという限界の中で高いものを積み上げていこうとすると、このような形が生まれてくるわけで、それが石とかレンガの建物とは違う優美さを生んでいる。石は四角形の原理で積み上げていくのに対して、三角形の原理で垂直性を出していく時に積み木になりうるように、ここにも同じような原理を感じることができます。だから三角形のたくさんある組み合わせが非常に合理的な形でありながら、白鷺城と呼ばれるような優美な造形になってるんですね。

圓教寺には摩尼殿の他にも面白い建物が色々ありますが、森の中にある建物の面

書寫山圓教寺 三之堂

白さは、木造と雨が多いという2つの条件をどうやって解決するかにあります。それが色々な答えを出していった末にたどり着いたのが、木造と屋根の合体した形なわけです。圓教寺の大講堂を見て、ひさしが深くてかっこいいなあと思いました。多分この辺りが特に雨が多い場所であったと推察するんですけど、それに対する答えとして、外壁を守る深いひさしか出てきたんじゃないかと思います。その深いひさしをとくために、強引に組手というものを多用するんですね。組手というのは柱の上にくっついているものですけど、常行堂の舞台に見られるように、そういうものを多用して、舞台に雨が掛からないように無理して屋根を張り出してきているわけです。摩尼殿でも雨から守るために懸造を無理して張り出しているわけで、この面白さを武田五一は何倍にも増幅して僕らに見せてくれている。そこに日比野さんが朝顔を合わせるという面白い挑戦をやって、あそこでは普通よりも何倍も朝顔が育ったというエピソードを聞きましたけれども、多分この姫路の山は特別に豊かな自然を持っていて、建築もこんな風に特別に深い軒を持った建築が必要とされたということじゃないかなと感じます。そういう姫路という土地を僕なりに解釈して、展示に活かしたいと思っているところです。

TSUMIKI
Photo:©Ikunori Yamamoto

文化観光拠点計画認定記念特別展

「日本の心象 刀剣、風韻、そして海景」

姫路市立美術館 学芸員　安部すみれ

2021年夏、姫路市立美術館では、文化観光拠点計画認定記念特別展「日本の心象 刀剣、風韻、そして海景」(会期:7/3〜9/5)を開催した。

本展は、日本の美意識を象徴する刀剣の刃文の美を手掛かりに、日本の風土が培ってきた深淵にして豊穣な心象風景に触れ、その世界観の独自性と普遍性を多彩な視点で探究することをコンセプトに企画されたものである。展覧会は3章で展示構成されており、第1〜2章は企画展示室、第3章はロビー階段と前庭を会場とした。

第1章「刀剣の光陰」では、当館所蔵・寄託の姫路ゆかりの刀剣とともに、ご監修頂いた林原美術館様、姫路しらさぎ刀剣会様を筆頭として、(公財)日本美術刀剣保存協会様、京都国立博物館様、その他多くのご所蔵者様ご協力のもと国内の名刀あわせて49口を集結させ、多様で奥深い刃文の美をひもといた。第2章「風韻、そして海景」では、姫路の刀匠と鍛冶師・明珍兄弟による、音(玉鋼製明珍火箸)と光彩(刀剣)のインスタレーションをプロローグとして、時間や人間存在についての思考を写真で表現する現代美術作家・杉本博司の写真作品「海景」シリーズを展観。さらに第3章「たまはがねの響」でも、明珍火箸の音色による音と光のインスタレーションを展開した。館内では立花江津子のステインドグラス作品《芸術の曙》とのコラボレーション、そして庭園では菅野由弘作曲《星雲光響2021》による音響空間が夕闇に光る姫路城・美術館・庭園を包み込み、幻想的な体験を味わえる趣向とした。

第1章　刀剣の光陰

古来、武器のみならず宝物や美術品として扱われてきた日本刀。その美を象徴するものに刃文がある。日本刀の刃文は、世界の刀剣のなかでも類を見ない多様さと奥深さで知られ、まさに日本刀の美を語るうえで欠かせない要素である。刃文には「直刃《すぐは》」「湾《のた》れ」「互《ぐ》の目」「丁子」「濤瀾《とうらん》」「皆焼《ひたつら》」など様々な典型があるが、1つとして同じものはない。それらは、澄み切った水面や冬の荒海、山下に立ち込める雲海、深山を覆う霧など、観る者一人ひとりの内面に多彩な景色を想起させ、一期一会の心象風景を生み出す。

本章では、当館所蔵・寄託の20口と国内各地より拝借した29口、あわせて計49口の刀剣を各時代の特徴を示しながら紹介。それぞれの刀剣が見せる千差万別の刃文を、平安時代から現代まで続く刀剣の歴史に沿って、「古刀の風景」、「新刀以降の風景」、「未来へと繋ぐ風景」の3節に分けて展観した。とりわけ最も注目を集めたのはやはり、本展唯一の国宝《太刀　銘 国行(来)》[(公財)日本美術刀剣保存協会蔵]といえるだろう。その他、《太刀　銘　正恒》《太刀　銘　近包》[以上林原美術館蔵]含む重要文化財4口や、国宝との展示替え作品《短刀　銘 国行》《短刀　銘 来国俊》[以上京都国立博物館蔵]なども一堂に会し、刃文の見せ方にこだわった美術照明ともあいまって、多くの刀剣ファンを魅了した。

第2章　風韻、そして海景

本章のタイトルにある「風韻」とは、姫路を拠点に活動を続ける刀匠・明珍宗裕と鍛冶師・明珍宗敬の兄弟がつくり出す「玉鋼(たまはがね)」に起因する、美しくも神秘的な音色のことを指す。材料を同じくする刀剣と玉鋼火箸風鈴によって構成されたインスタレーション《派生》は、明珍兄弟にとって初の実験的作品として2017年に発表され、伝統工芸の手わざの領域から現代社会に一石を投じた。展覧会における本作品は、3つの章全篇をつなぐ要としての存在を担った。

そもそも玉鋼は、古来から続く伝統的製鉄技術であるたたら製鉄によって生まれる鋼で、専ら日本刀に使用される特別な素材として(公財)日本美術刀

国宝《太刀 銘 国行(来)》 (号 明石国行) 鎌倉時代中期 13世紀

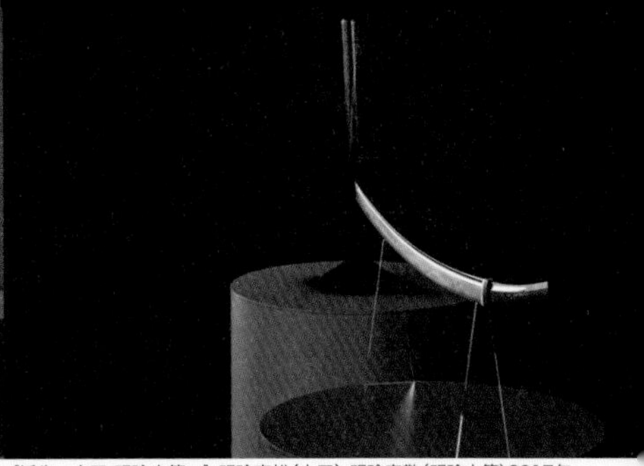

《派生－太刀 明珍火箸－》明珍宗裕(太刀) 明珍宗敬(明珍火箸)2017年
photo：左右共に森山雅智

剣保存協会により管理され頒布される貴重なものである。「玉鋼製明珍火箸」は、兵庫県指定伝統工芸品「明珍火箸」の極北に位置するもので、発せられる類まれな音色と響きは、刀匠の明珍宗裕によって鍛錬された玉鋼を、鍛冶師の第53代明珍宗敬が明珍火箸に成形することによって生まれる。時代の変化とともに武具から人々が暖をとる道具へ、そして心身に癒しを与える音具へと、甲冑師の伝統を糧とする明珍兄弟のものづくりの精神を表象する空間がここに提示された。

その先には、杉本博司による代表的写真作品「海景」シリーズと、杉本が蒐集してきた刀剣によって構成された壮大なインスタレーションが展開された。起点に横たわる大刀は、古墳から出土したもので日本刀の原初形態を呈している。そして彼方の終点には、不動明王の利剣として破魔の役割を果たしたと目される三鈷剣(鎌倉時代の三鈷柄に、現代の刀匠・大野義光が刀身を復元)が、仏師・滝本光国の蓮台に屹立している。この二極を繋ぐ延長約50メートル壁面空間に7つの「海景」が並置された。世界7ヵ所の海や湖において水平線と空の景色をモノクロームで撮影し、幅約1.5メートルの大型画面に焼き付けたゼラチンシルバープリント作品はまさに圧巻である。時代やジャンルを超えて、歴史や時間の概念を変革し続ける現代美術作家・杉本は、おそらく太古の人類も眺めたであろう原風景を活写し、私たちを時空を超えた意識の旅へと誘った。

第3章　たまはがねの響 音と光のインスタレーション

世界文化遺産で国宝の「姫路城」、国登録有形文化財「姫路市立美術館」、そして13点の彫刻のある美術館庭園を一望に収める唯一無二の景観を作品化する取り組みが、本展第3章に位置づけられる庭園アートプロジェクト「たまはがねの響」である。

本プロジェクトは、「玉鋼の中に入り込んでしまう」発想で作曲された菅野由弘による音響作品「星雲光響2021」と、「たまはがねの響」の世界観を視覚的に表現した光のインスタレーションが前庭を舞台に展開されるというもの。会期中の金・土曜と祝日は20時まで夜間開館を行ない、昼間とは趣の異なる光景をお楽しみ頂いた。明珍火箸の制作者・明珍宗敬と、音響工学の観点からも明珍火箸の音色を追究する作曲家・菅野との出会いにより実現したこのアートプロジェクトは、地域固有の文化の輝きを世界に発信する試みであった。

一方で、館内ロビー階段に見られたのは、明珍宗敬による玉鋼製明珍火箸の響と立花江津子によるステインドグラス作品《芸術の曙》が生み出す光とがコラボレーションしたインスタレーションである。《芸術の曙》は、1983年の姫路市立美術館開館時に姫路市の委嘱により制作された作品である。建物と一体化することで「美の殿堂」としての姫路市立美術館を象徴する本作では、ギリシア・ローマ神話に登場する三美神になぞらえた3本の木が枝を伸ばす先に、眩いばかりの曙光に満ち溢れた空が広がるイメージが表現されている。前述の通り、日本古来の伝統と技術に裏打ちされた玉鋼製明珍火箸の涼やかな響きは、西洋の伝統と技術によりもたらされるステインドグラスの光彩と共鳴し合うようにハーモニーを奏で、美術館を満たしていた。

美術館の可能性を拓く

「姫路市立美術館を中核とした文化観光推進拠点計画」をめぐって

姫路市立美術館 学芸員　二宮洋輔

「オールひめじ・アーツ&ライフ・プロジェクト」は、「姫路市立美術館を中核とした文化観光推進拠点計画」（以下「本計画」と呼ぶ）の主要事業に位置付けられている。本計画は、「文化観光拠点施設を中核とした地域における文化観光の推進に関する法律」（以下「文化観光推進法」と呼ぶ）に基づき2021年5月25日に文部科学大臣及び国土交通大臣から認定を受け、2021年～2024年の4ヵ年を計画期間として「オールひめじ・アーツ&ライフ・プロジェクト」やコレクションの魅力発信のための各種事業等を行うものである。「文化観光」とは、「文化についての理解を深めることを目的とする観光」のことをいい、したがって本計画では、神姫バス㈱、神姫観光㈱、山陽電鉄㈱、（公社）姫路観光コンベンションビューローとの連携のもと、企画に応じた公共交通の利便性向上や一体的ＰＲ、ツアー造成等を通じた市内外、ひいては国外からの誘客促進が目指されている。

文化芸術を「観光資源」と捉える「文化観光推進法」の考え方は、文化財の「保存」と「活用」を二項対立的に捉える傾向があったこれまでの文化財行政の立場からすれば、いささか違和感があるかもしれない。しかしながら、人類共通の財産である文化芸術を次世代へと守り伝えていく上では、社会全体の理解と協力が必要である。そのためには、文化芸術の魅力と価値を知る機会がこれまで以上に広く提供されなければならない。「保存」と「活用」の両立。それが、近年の文化・文化財行政の潮流であり、国内法令の改正も重ねられてきた。

文化芸術の振興に関する基本法として2001年に制定された「文化芸術振興基本法」が2017年に改正され「文化芸術基本法」として施行された。この改正では、文化芸術のもつ価値が、①文化芸術が本来的にもつ、豊かな人間性を涵養し、創造力と感性を育むといった「本質的価値」、②他社との共感や相互理解、多様性の尊重を促進する「社会的価値」、③新たな需要や高い付加価値を生み出し、質の高い経済活動を実現する「経済的価値」、の3種類に定義された。この認識のもと、文化芸術は観光やまちづくり、国際交流、福祉、教育、産業その他の各関連分野と積極的に連携すべきとされた。

2018年には、「文化財保護法」が改正された。この改正では、文化財の計画的かつ適切な保存・活用に関する総合的な施策の大綱を都道府県が、その大綱を勘案した総合的な計画＝文化財保存活用地域計画を市町村が策定できるものとされた。国は「保存と活用は互いに効果を及ぼし合いながら、文化財の継承につなげるべきもので、単純な二項対立ではない。保存に悪影響を及ぼすような活用があってはならない一方で、適切な活用により文化財の大切さを多くの人々に伝え、理解を促進していくことが不可欠であるなど、文化財の保存と活用は共に、次世代への継承という目的を達成するために必要なものである。」との指針を出している（文化庁「文化財保護法に基づく文化財保存活用大綱・文化財保存活用地域計画・保存活用計画の策定等に関する指針」）（最終変更　令和3年6月、p.2）。「保存」と「活用」が相補的なものとして捉え直されたのである。

2020年に施行された「文化観光推進法」は、こうした一連の法改正の流れを汲み、「文化の振興を、観光の振興と地域の活性化につなげ、これによる経済効果が文化の振興に再投資される好循環を創出すること」を目的としている。この目的の実現に向けて、姫路市立美術館は本計画に基づき独自性を発揮しながら、これまで以上にその活動の幅を広げ、地域において大きな役割を果たしていく。

本書『All Himeji Arts＆Life Forum』は、「オールひめじ・アーツ&ライフ・フォーラム2021」[2021年11月1日(月)14:00－17:00於:姫路市役所]に関連して刊行された記録集です。
本フォーラムは、2021年度から2024年度までの4ヵ年、姫路市の主要施策「オールひめじ・アーツ&ライフ・プロジェクト」において、毎年、同プロジェクトの5人のコア・アーティストに各々の独自の視点を通した世界観を披露いただき、その知見を集積し、地域に根差した芸術文化クラスターを醸成することを目指すものです。

オールひめじ・アーツ&ライフ・プロジェクトのロゴデザインは日比野克彦氏に手がけていただきました。ひらがなが持つやさしさを表現することを意識し、絵のようにも文字のようにも見えるかたちで「ひめじ」の3文字を表しています。また、「ひめじ」の文字の色はグラデーションで様々な色が盛り込まれています。それぞれの色が境目なく混ざりながら1つのデザインの中に同居している色づかいから、多様性に富んだボーダーレスな世界観が感じられるものとなっています。

表紙デザインは、「オールひめじ・アーツ&ライフ・プロジェクト」の3つの拠点である姫路城と書寫山圓教寺、そして姫路市立美術館を示すシンプルな矩形の色面が互いに繋がり影響し合う様を表しています。表紙地色は、「総合芸術の聖地」を謳う書寫山圓教寺を象徴する開山堂の五輪塔をヒントに、世界を構成する地・水・火・風・空の5つの要素から、まず初年度は「地」と「風」の色をイメージして砂色を基調としました。白といぶし銀は姫路城の漆喰と屋根瓦、橙色は姫路市立美術館の明るい赤煉瓦、それらすべてを蒼い空が繋ぎます。

All Himeji Arts＆Life Forum
オールひめじ・アーツ&ライフ・フォーラム

2023年3月7日　初版第1刷発行

編集　浦谷さおり／小倉祐介
アートディレクション　首藤成利(風の道 雨の匂 石の刻)
デザイン　梅田香里
企画　姫路市立美術館

発行者　浦谷さおり
発行所　株式会社 金木犀舎
〒670-0922
兵庫県姫路市二階町80番地
TEL 079-229-3457
FAX 079-229-3458
https://kinmokuseibooks.com/
印刷・製本　株式会社デイリー印刷

オールひめじ・アーツ&ライフ・プロジェクト
All Himeji Arts & Life Project

文化庁
Agency for Cultural Affairs, Government of Japan
令和3年度 文化庁 文化観光拠点施設を中核とした地域における文化観光推進事業

ISBN 978-4-909095-37-4　C0070